山形県
あんかけそうめん

石川県 ハントンライス

青森県
黒石つゆやきそば

栃木県 耳うどん

愛媛県 まるごとみかん大福

東京都 深川めし

監修者のことば

ご当地ごはんには、びっくりする形状や調理方法、珍しい素材の組み合わせ方など、面白いものがたくさんあります。そのひとつひとつをよく調べてみると、歴史的に興味深い由来や人々の熱い思い入れがわかってきて、ますます楽しみは広がります。ふだんから料理にかかわっている私自身も、その奥深さや自由な発想とアイディアがとても勉強になり、ご当地ごはんのパワーにすっかり魅せられてしまいました。でもそう簡単に現地まで食べには行かれませんから、おうちでつくれたらいいなと思い、この本ができました。これをきっかけに、楽しい料理の世界に興味をもってもうえたらうれしいです。

吉田瑞子

〈この本の決まり〉

・この本で紹介しているご当地ごはんは、はじめてでもつくりやすいようにつくり方の手順を簡単にしたり、材料を手に入りやすいものに変えたりしています。地名や地域名、料理の由来は各都道府県の公式ホームページなどを参考にして一般的と思われるものを採用しています。

・1カップは200mL、大さじ1は15mL、小さじ1は5mL、1合は180mLです。

・電子レンジは500Wを使用しています。加熱時間は目安なので様子をみながら調節してください。

・火加減は、特に表記がない場合は中火です。

・だし汁は市販の顆粒だしを水にとかしてつくる場合を想定しています。分量は、パッケージの表示を参考にしてください。

この本の見方

この本は、全国のご当地ごはんをテーマごとに対決形式で紹介しています。レシピを見ながらつくってみましょう。

もくじ

お笑い芸人 サンドウィッチマンさんインタビュー
ふるさとの味を受け継ぐのは、"僕たち、私たち！" ……… 4

どっちがゴージャス？ 夢のランチ対決 ……… 6
ハントンライス(石川県金沢市) vs トルコライス(長崎県長崎市)
◆料理のキホン◆ 揚げ油の温度のみかたをマスターしよう ……… 9
◆料理のキホン◆ 揚げ物の衣のつけ方をマスターしよう ……… 11

うま～く化けた！ 変わりバーガー対決 ……… 12
おきつねバーガー(愛知県豊川市) vs 松山長なすバーガー(愛媛県松山市)

ソースに差アリ！ 焼きめし対決 ……… 14
そばめし(兵庫県神戸市) vs えびめし(岡山県岡山市)

新スタイル焼きそば だし派？ みそ派？ ……… 18
黒石つゆやきそば(青森県黒石市) vs たじみそ焼きそば(岐阜県多治見市)

つるつる？ もちもち？ 変わりうどん対決 ……… 22
すったて(埼玉県川島町) vs 耳うどん(栃木県佐野市)

いためる！ かける！ アレンジそうめん ……… 26
ソーミンチャンプルー(沖縄県全域) vs あんかけそうめん(山形県鶴岡市)

具に注目！ 東と西のどんぶり勝負 ……… 30
深川めし(東京都江東区) vs 衣笠丼(京都府全域)

まんまる対決！ フワフワ卵料理 ……… 34
たまごふわふわ(静岡県袋井市) vs 明石焼(兵庫県明石市)

ソース？ みそ？ 粉ものおやつ対決 ……… 38
いか焼き(大阪府全域) vs こねつけ(長野県北信地方)

しっとり！ サクサク！ カンタンおやつパン対決 ……… 40
みそパン(群馬県沼田市) vs ポテチパン(神奈川県横須賀市)

これってそのまんま!? オドロキ和菓子くらべ ……… 42
天ぷらまんじゅう(島根県大田市) vs まるごとみかん大福(愛媛県今治市)

ひんやり♪ シャリシャリ♪ 涼を楽しむ氷対決 ……… 46
食べるミルクセーキ(長崎県長崎市) vs 沖縄ぜんざい(沖縄県全域)

お笑い芸人 サンドウィッチマンさん インタビュー

ふるさとの味を受け継ぐのは、"僕たち、私たち！"

バラエティ番組のロケなどで日本各地を巡ることも多いサンドウィッチマンさん。「ご当地のおいしいものを食べるのが一番の楽しみ」と話すおふたりの、ご当地ごはんの魅力とは!?

人を笑わせる原動力は、おいしいご当地ごはんです！

Q. 地元・宮城県のご当地ごはんで、印象に残っているものはありますか。

伊達 僕にとって一番なじみのある味は、仙台駅から車で1時間ほどのところにある、定義如来西方寺というお寺の参道にあるお豆腐店の「三角定義あぶらあげ」です。揚げたて熱々の油揚げを、しょうゆと七味で食べるのですが、皮のサクサク感と豆腐の濃厚なうまみが同時に味わえて、一度食べたらやみつきに。小さいころから父親に連れられて、これまで数えきれないくらい食べに行っています。

富澤 毎年秋になると仲間と芋煮会をするのが恒例でした。"芋煮"とは、里芋などの芋類や白菜、ごぼうに大根、にんじん、きのこ類などをたくさん入れた豚汁のようなもの。東京にいても寒くなってくると、地元を思い出して無性に食べたくなります。家でもつくることはできますが、肌寒いなか河原に集まって大人数でワイワイ食べるのがいいんですよ。

Q. これまでに食べたご当地ごはんで、家でつくってみた料理はありますか？

伊達 北海道発祥のご当地ごはん「ラーメンサラダ」が大好きで、奥さんによくつくってもらいます。中華めんの上に、レタスやトマトなどの野菜をたっぷりとのせて、味つけはドレッシングとマヨネーズを合わせたうちのオリジナル。さっぱりと食べられるので夏場はとくにおすすめです。

富澤 僕は、岐阜県の郷土料理「鶏ちゃん」。現地

で食べたのがあまりにもおいしくて、タレを買って家で再現しました。にんにくのきいたしょうゆダレにつけこんだ鶏肉のうま味と、鉄板でいっしょに焼いて食べるキャベツの甘みが最高。ごはんが何杯でも食べられる味でしたね。

ラーメンサラダは1巻で紹介しています。

鶏ちゃんは3巻で紹介しています。

お笑い芸人
サンドウィッチマン

伊達みきお（写真左）1974年9月生まれ。富澤たけし（写真右）1974年4月生まれ。ともに宮城県仙台市出身。1998年にコンビを結成し、「M-1グランプリ2007」で、敗者復活枠からの優勝を果たしブレイク。バラエティ番組やラジオMC、お笑いライブなどで活躍。地元である東北との関わりも深く、東日本大震災以降は復興に向けてさまざまな支援活動もおこなっている。

Q. ご当地ごはんをその土地で食べる魅力とはなんでしょうか。

伊達 巡業先で地方のおいしいものを食べるのは大きなモチベーションのひとつ。ライブの後に、スタッフや後輩たちといっしょに現地のお店で打ち上げをするのが一番の楽しみです。芸人仲間のあいだでもお互いのおすすめや行きつけのお店の情報交換はしょっちゅうしていますね。愛媛に住んでいる先輩芸人に有名な鶏料理のお店を教えてもらい、松山公演のあとに行ったことがありますが、そこで食べた若鶏の素揚げは絶品でとてもおいしかったです。

富澤 僕たちは地方に行っても観光をすることが少ないので、その土地その土地の食べ物を食べることが、その場所に行ったことの"証"になるし、一番の思い出になります。次は家族を連れて行こうかなって、再び訪れるきっかけになったりもします。

Q. 復興をサポートする活動をされていますが、東北の食の取り組みについてはどんなことを感じましたか。

伊達 僕たちも、復興活動をするなかで東北の味覚を再発見することがたくさんありました。そのひとつが東松島の大曲浜で獲れたのりを練りこんだ「のりうどん」です。震災で津波の被害にあい一時はのりが獲れなくなりましたが、漁師さんたちの懸命な努力でのり養殖業が再開。復活を待ちわびてできあがった名物です。そばのような黒いうどんが特徴で、ほんのり磯の香りがしておいしいんです。

富澤 東北にはおいしいものがたくさんあります。震災でそれがダメになっても、がんばってまたおいしいものを復活させてくれる人がいるんです。東北の人は控えめなので、僕たちがふるさとの味を受け継ぎ、どんどん発信することが大事だと思っています。

Q. 最後に、この本の読者へメッセージをお願いします。

伊達 おいしそうだなって思ったご当地ごはんをつくってみたら、ぜひその土地に連れて行ってもらって味比べをしてみてください。日本には、ほんとうに各地においしいものがあるんだということを知って、食に興味をもつことで人生が何倍も楽しくなると思います。ちょっと太るかもしれないけど（笑）。

富澤 家でご当地ごはんをつくるときは、この本のように"対決"してみることをおすすめします。友達や家族と、つくって対決すると楽しいと思います！

どっちがゴージャス？

石川県金沢市

ハントンライス

オムライスの上に、えびと白身魚のフライをのせた豪華メニューの登場！2色のソースがはなやかだね。

完成まで 30分

メインはえびフライ！

輪島 / 能登 / 金沢 / 加賀

どんな料理？ ハントンライス

ケチャップごはんの上にうす焼き卵とえびや魚のフライをのせ、2種類のソースをかけたメニューです。金沢市で1960年代に誕生しました。名前はハンガリー料理をヒントにしたことから「ハン」、元はまぐろのフライをのせていたことから、フランス語でまぐろを表す「トン」を組み合わせ、つけられました。

P8へ

夢のランチ対決

トンカツにスパゲッティに
カレーピラフまで！
ひと皿で3つの味が楽しめる
夢のようなメニューだよ♪

長崎県長崎市

トルコライス

完成まで 60分

こちらはトンカツ！

どんな料理？ トルコライス

トルコライスは3種類のメニューをひと皿にもりつけた、ボリューム満点の欲ばり料理。長崎市では多くのきっ茶店や洋食店で食べられるおなじみの一品です。店によってトンカツのかわりにチキンカツやハンバーグをのせたり、カレーピラフをチキンライスにするなど、さまざまな組み合わせがあります。

佐世保

長崎　雲仙　南島原

P10へ

ハントンライスのつくり方

材料（2人分）

- えび……… 2尾
- 白身魚……… 2切れ
- 塩、こしょう……各少々
- Ⓐ 小麦粉……… 大さじ4
- とき卵……… 1個
- パン粉……… 2カップ
- 揚げ油……… 適量
- バター……… 小さじ2
- ごはん……… 400g
- Ⓑ トマトケチャップ……… 大さじ3
- 塩、こしょう……各少々
- 卵……… 4個
- 塩、こしょう……各少々
- バター……… 小さじ2
- タルタルソース（市販品）……… 適量
- トマトケチャップ……… 適量
- パセリ……… 少々

1 えびと白身魚のフライの下ごしらえをする

えびは尾を残してからをむき、背ワタを取る。

2

白身魚は縦半分に切り、えびとともに塩、こしょう各少々をふり、Ⓐの衣を上から順につける。

> 衣のつけ方は11ページを見てマスターしよう！

3 油で揚げる

> 揚げ物や揚げ物用のなべは高温なのでやけどに注意。揚げるときは大人に近くにいてもらおう！

2を180度に熱した揚げ油で揚げる。全体的にこんがりと焼き色がついてきたら、バットなどの上にあげて油をきる。

4 ケチャップライスをつくる

フライパンにバター小さじ2を入れて熱し、ごはんを加えていため、Ⓑで味つけする。

5

いためた4を皿2枚にもりつけておく。

6 卵焼きを2枚つくる

ボウルに卵を割り入れ、さいばしでときほぐす。塩、こしょう各少々をふってまぜる。

7

熱したフライパンにバター小さじ1を入れてとかし、6の半量を加える。

8

さいばしで手早くまぜて半熟に仕上げる。

> さいばしをぐるぐると回して、全体に火を通すよ。卵がかたまってしまう前に取り出そう。

9 もりつける

5のもりつけたケチャップライスの上に8をのせる。これと同じようにもう1枚つくり、もうひと皿にのせる。

10

9に3のえびフライ、白身魚のフライをのせる。

> 中央が高くなるようにのせるとおいしそうに！

11

タルタルソース、トマトケチャップをかけ、みじん切りにしたパセリをふる。

これで完成！

料理のキホン

揚げ油の温度のみかたをマスターしよう

揚げ油の温度は、温度計で確認できるけれど、さいばしを使ったみかたを覚えると便利だよ。

熱した油のなかにさいばしを入れます。油につけたはし全体から細かな泡が出てきたら、揚げ物に最適な中温（170〜180℃）になっているよ。

> 衣を少し入れても確認できます。途中までしずんでうき上がってきたら、油が適温になっているサインですよ。

トルコライスのつくり方

材料（2人分）

- 米……………… 1合
- ❹ カレー粉…… 小さじ1
  - 洋風スープの素（くだく）
    ……………… 1/2個
  - 塩、こしょう… 各少々
- 冷凍ミックスベジタブル
  ……………… 1/3カップ
- バター………… 小さじ1
- 豚ロース肉（厚切り）
  ……………… 2枚
- 塩、こしょう… 各少々
- ❸ 小麦粉……… 大さじ4
  - とき卵……… 1個
  - パン粉……… 2カップ
- 揚げ油………… 適量
- スパゲッティ… 100g
- バター………… 小さじ2
- ❸ トマトケチャップ
  ……………… 大さじ2
  - 塩、こしょう… 各少々
- キャベツ、トマト、
  きゅうり、かいわれ菜など
  ……………… 各適量
- デミグラスソース（市販品）
  ……………… 適量

1 カレーピラフを炊く

米は洗って炊飯器に入れ、めもりまで水を注ぐ。

2

❹を加えてよくまぜ、冷凍ミックスベジタブルを加える。

冷凍ミックスベジタブルは、凍ったまま入れてOK！

3

2にバター小さじ1を加えて普通モードで炊く。炊きあがったらさっとまぜる。

4 トンカツをつくる

厚切りの豚ロース肉は白い脂身と赤身の境目に縦に切りこみを入れてすじを切り、包丁の背でたたく。塩、こしょうをふり、❸の衣を小麦粉、とき卵、パン粉の順につける。

5

4を180度に熱した揚げ油でカラリと揚げ、食べやすい大きさに切る。

> 揚げ物を切るときは、まな板の上に
> キッチンペーパーをしくと
> まな板が油で汚れるのを防げるよ。

6 スパゲッティをつくる

スパゲッティをパッケージに表示された時間通りにゆでる。ゆであがったらざるにあげて水気をきる。

7

フライパンにバター小さじ2を入れて熱し、バターがとけたら6を入れる。

8

バターがスパゲッティになじんだら、Cを加えて味つけする。

9 サラダをつくる

キャベツはせん切りに、トマトはくし形切りに、きゅうりは斜めうす切りに、かいわれ菜は食べやすい長さに切る。

10 もりつける

皿に3と8をもり、5をのせ、温めたデミグラスソースをかけ、9をそえる。

これで完成！

料理のキホン

揚げ物（トンカツ、えびフライ、コロッケなど）の衣のつけ方をマスターしよう

揚げ物をするときは、肉や魚などに、小麦粉、卵、パン粉の順で衣をつけます。そのつけ方を覚えてね。ここではロース肉に衣をつけるよ！

① 小麦粉を肉全体につけます。ムラなくうすく、均一につけましょう。最後に余分な粉をはたきます。

② とき卵を全体につけていきます。卵はパン粉をつけるための接着剤代わり。ムラが出ないように。

③ パン粉をムラなく全体につけていきます。軽く押さえるように、しっかりつけましょう。

> 生パン粉はサクサクした食感、
> 乾燥パン粉は、ふわっとし、
> 油の吸いこみが少ないので
> ヘルシーに仕上がるよ。

うま〜く化けた！

愛知県豊川市

おきつねバーガー

バンズの代わりに油揚げでトンカツをはさんだバーガー。カリッとした油揚げの食感が楽しい！

完成まで 15分

…油揚げサクサク！

名古屋　豊田
岡崎
豊川

どんな料理？ おきつねバーガー

パンの代わりに油揚げでトンカツをはさんだおきつねバーガーは、愛知県豊川稲荷神社の参道で、2007年に発売されたご当地バーガー。肉厚で香ばしい油揚げにはさむのは、サクサクのトンカツにシャキシャキのレタスと玉ねぎ。食感も楽しめます。

おきつねバーガーのつくり方

材料（2個分）

- 油揚げ（厚いもの）……… 2枚
- サラダ油 ……………… 適量
- めんつゆ（2倍濃縮）…… 小さじ2
- トンカツ（8cm×8cm角大の市販品）……………… 2枚
- レタス ………………… 2枚
- 玉ねぎ ………………… 1/8個
- トマトケチャップ ……… 適量

ひと口カツを2〜3個使って具にするか、ロースカツを半分に切ってはさんでもOK。

1 油揚げを焼く

油揚げは半分に切り、サラダ油を熱したフライパンにならべ入れ、片面だけカリッとなるまで揚げ焼き（深さ約2cmの油で焼くように揚げる）する。揚げ焼きした面にめんつゆをまんべんなくぬり、オーブントースターで軽く焼いてかわかす。

2 具の準備をする

トンカツをオーブントースターで温めておく。

3

レタスは手でちぎり、玉ねぎはうす切りにする。

4 具をはさむ

1の油揚げ2枚を、焼き目のない面を上にしてならべ、レタス、トンカツを順にもりつけ、玉ねぎをのせてトマトケチャップをかける。残りの油揚げの焼き目のある面を上にしてのせ、はさむ。

これで完成！

変わりバーガー対決

完成まで 20分

愛媛県松山市

松山長なすバーガー

お肉かと思ったら、なんとなす！
なすには油が染みこんで、お肉にも負けないおいしさ。

なすがジュワー！

どんな料理？ 松山長なすバーガー

愛媛県松山市で、2009年におこなわれた、長なすを使った料理のコンテスト「第一回ナモワングランプリ」で優勝したバーガー。長さが40cmほどもある、特産品の松山長なすの天ぷらとソテー、愛媛県産のトマトとレタスをパンにはさんでいます。

松山長なすバーガーのつくり方

材料（2個分）

- なす……………………2本
- Ⓐ 天ぷら粉……………2/3カップ
- ｜ 炭酸水………………1/2カップ
- 揚げ油…………………適量
- オリーブ油……………大さじ1
- あらびき黒こしょう…少々
- ハンバーガーバンズ…2個
- レタス（手でちぎる）…2枚
- トマト（1cm幅の輪切り）…4枚
- Ⓑ マヨネーズ…………大さじ1
- ｜ コンデンスミルク…小さじ1/2
- ステーキソース（市販品）……適量

1 なすを調理する

なすは1cm厚さの斜め切りで4枚切り、2枚組み合わせたときに重なる部分を少し切ってくっつける。竹串を横からさしてとめ★、Ⓐを合わせてからめ、160℃の揚げ油で揚げ、最後に180～190℃にしてカラリとさせる。

2

残りのなすは2mm厚さの斜め切りに切る。オリーブ油を熱したフライパンで両面焼き、あらびき黒こしょうをふる。

3 具をはさむ

バンズは横に半分に切り、切り口をフライパンに押しつけて焼く。下側のバンズに、レタス、トマト、2を順に重ね、合わせたⒷをかけ、竹串をはずした1をのせる。ステーキソースをかけ、上側のバンズではさみ、ピックでとめる。

★ なすを2枚くっつけてフライを2個つくるよ！

これで完成！

ソースに差アリ！

兵庫県神戸市

そばめし

焼きそばとごはんを合体させた、不思議なメニュー！
全体にソースをたっぷりからめて、よ〜くいためよう。

完成まで 15分

おかわり〜♪

どんな料理？ そばめし

名前の通り、焼きそば用のめんとごはんをいっしょにいためます。神戸市長田区のお好み焼き店で、お客さんがお弁当の冷たいごはんを、焼きそばといっしょにいためてほしいと頼んだのがはじまり。1995年の阪神淡路大震災で、大きな被害を受けた長田区の復興のニュースとともに、全国に知られるようになりました。

P16へ

焼きめし対決

むきえびをたっぷり入れた、その名もえびめし！
ソースやケチャップをまぜて、味も本格的。

岡山県岡山市

えびめし

完成まで 15分

どんな料理？ えびめし

岡山県岡山市の洋食店で人気のえびめしは、カラメルソースやケチャップなどを合わせた独特のソースでつくる、黒いえびピラフです。1972年に岡山市に開店した洋食店がはじまりですが、もともとは、店主の修業した東京の店にあったメニューをアレンジし、独自の味にしてつくったといわれています。

新見 ・岡山 倉敷 瀬戸内

えびたっぷり！

P17へ

そばめしのつくり方

材料（2人分）

焼きそば用蒸しめん	1玉
豚バラ肉（うす切り）	100g
キャベツ	1枚
玉ねぎ	1/8個
にんじん	1/8本
サラダ油	小さじ2
どろソース	大さじ2
温かいごはん	200g
Ⓐ ウスターソース	大さじ1
塩、こしょう	各少々
わけぎ	少々

1 めんを加熱する
焼きそば用蒸しめんは袋に切りこみを入れ、電子レンジで30秒加熱する。

2 材料を切る

1のめんを2cm角大に切る。うす切りの豚バラ肉、キャベツは1cm角大に切る。

3
玉ねぎ、にんじんをみじん切りにする。

4 材料をいためる

フライパンにサラダ油を熱し、3、豚バラ肉、キャベツの順に加えていため、さらに切っためんを加える。

5 味つけする

どろソースは、ウスターソースをつくるときに底にしずんだものを加工してつくる、濃厚で辛口のソース。そばめしではよく使う材料だよ。

へらでめんがパラパラになるまでいため、どろソースを加えて味つけする。

6

ごはんを加え、ほぐしながらいため合わせて、Ⓐで味を調える。

7 もりつける
6を皿にもりつけ、小口切りにしたわけぎをのせる。

これで完成！

えびめしのつくり方

材料（2人分）

- むきえび……… 12尾
- 玉ねぎ………… 1/4個
- Ⓐ デミグラスソース（市販品）
  ………… 大さじ2
- トマトケチャップ
  ………… 大さじ1
- しょうゆ…… 小さじ2
- ウスターソース… 小さじ2
- カレー粉…… 小さじ1
- 塩、こしょう… 各少々
- 卵………………… 1個
- Ⓑ 砂糖………… 大さじ2
- 水…………… 大さじ1
- バター………… 小さじ2
- 温かいごはん… 400g
- グリーンピース… 10粒

1 具の下ごしらえをする

むきえびは背ワタを取る。玉ねぎはみじん切りにする。

2 Ⓐを合わせておく。

> えびの背ワタには砂が入っていたり、残しておくと、くさみが出ることも。取ったほうがおいしくなるよ。

3 ゆで卵をつくる

なべに卵と卵がかくれるくらいの水を入れて火にかけ、ふっとうしたら7〜8分ゆでる。

4 カラメルソースをつくる

フライパンにⒷの砂糖を入れて火にかけ、茶色く焦げたら分量の水を加えてカラメルソースをつくる。

> カラメルソースは、プリンの上にのっているソースと同じ。このソースを加えることでごはんを黒くしているよ。水を加えると少しはねるので、やけどに十分注意しよう。

5 材料をいためる

別のフライパンにバターを入れて熱し、バターがとけたら玉ねぎ、えびの順に加えていためる。えびの色が変わったら、ごはんを加えていため、よくまぜ合わせる。

6 味つけする

ごはんとえびがまざったら、Ⓐ、4を加えて味つけする。

7 もりつける

6を皿にもりつけ、からをむいてみじん切りにしたゆで卵、ゆでたグリーンピースをのせる。

これで完成！

新スタイル焼きそば

青森県黒石市

黒石つゆやきそば

これはうどん!? それともおそば!? たっぷりのつゆといっしょに食べる、新感覚の焼きそばです。

完成まで 20分

ツルツルッと食べられる!

どんな料理? 黒石つゆやきそば

青森県黒石市では、太くて平たいめんを使った焼きそばが、手軽なおやつとして人気があります。1960年代のはじめ、ある食堂が、部活帰りのおなかをすかせた中学生のために、つくりおきの冷めた焼きそばに温かいそばのつゆをかけて出したのが、つゆやきそばのはじまりといわれています。

P20へ

だし派？ みそ派？

ピリ辛のおみそが焼きそばとよく合う！
半熟の目玉焼きを割って、
めんととろ〜りからめて
食べてみよう。

完成まで **20分**

岐阜県多治見市

たじみそ焼きそば

おみそが香ばしい！

どんな料理？ たじみそ焼きそば

2010年に、岐阜県多治見市のグルメコンテストで人気になった焼きそばです。地元の高校の先生のアイディアで、ピリ辛のみそ味と、とろとろの半熟卵がのっているのが特徴です。市内の飲食店が協力してこの焼きそばをもりあげ、今では20軒以上の店が、それぞれ個性あるたじみそ焼きそばを提供しています。

飛騨
郡上
岐阜
●多治見

P21へ

黒石つゆやきそばのつくり方

材料（2人分）

- 焼きそば用蒸しめん（太く平らなめん）……2玉
- 豚バラ肉（うす切り）…100g
- 塩、こしょう………各少々
- 玉ねぎ……………1/4個
- キャベツ…………2枚
- サラダ油…………小さじ2
- **A** めんつゆ（2倍濃縮）………1/3カップ
  - 水……………2カップ
- **B** ウスターソース…大さじ3
  - 塩、こしょう…各少々
  - サラダ油……小さじ2
- 長ねぎ………10cm
- 天かす………大さじ4

> 太く平らな焼きそば用蒸しめんがないときは、普通の焼きそば用の蒸しめんでつくろう。

1 めんを加熱する
焼きそば用蒸しめんは袋に切りこみを入れ、電子レンジで1玉につき30秒加熱し、ほぐれやすくしておく。

2 具の下ごしらえをする
うす切りの豚バラ肉は3～4cm幅に切り、軽く塩、こしょうをふる。玉ねぎは1cm厚さのくし形切り、キャベツは小さめのざく切りにする。

3 キャベツをいためる

フライパンにサラダ油小さじ1を熱し、**2**のキャベツを入れていため、取り出す。

4 つゆを温める
小なべに**A**を入れて合わせ、火にかけて温めておく。

5 具をいためる
3のフライパンにサラダ油小さじ1を足し、**2**の豚肉、玉ねぎをいためる。肉の色が変わったら、**1**のめんをほぐしながら加えていためる。

6 味つけする

3のキャベツをもどし入れ、**B**を加えて味つけする。

7 もりつける
丼に**6**をもりつけて、**4**を注ぎ、小口切りにした長ねぎと天かすをのせる。

たじみそ焼きそばのつくり方

材料（2人分）

焼きそば用蒸しめん……2玉
キャベツ……2枚
豚バラ肉（うす切り）…100g
塩、こしょう……各少々

Ⓐ 八丁みそ……大さじ1
　 酒……大さじ1
　 砂糖……大さじ1
　 ウスターソース……小さじ1
　 豆板醤……小さじ1
　 にんにくのすりおろし
　　　　　　……1かけ分
　 塩、こしょう……各少々
ごま油……小さじ2
サラダ油……小さじ1
卵……2個
青のり、きざみのり、紅しょうが……各少々

八丁みそが手に入らない場合は、お店で売っている赤みそを使おう。

1 めんを加熱する
焼きそば用蒸しめんは袋に切りこみを入れ、電子レンジで1玉につき30秒加熱し、ほぐれやすくしておく。

2 具の下ごしらえをする
キャベツは大きめのざく切りにする。うす切りの豚バラ肉は3～4cm幅に切り、軽く塩、こしょうをふる。

3 たれをつくる

みそが残らないように、先にしっかり材料をまぜ合わせておくと、あとでめんとからみやすくなるよ。

小さめのボウルにⒶを入れ、合わせておく。

4 具をいためる
フライパンにごま油小さじ1を入れて熱し、2のキャベツを加えていため、取り出す。

5
4のフライパンにごま油小さじ1を足し、2の豚肉を加えていため、色が変わったら1のめんを加え、ほぐしながらいためる。

6 味つけする

5に4のキャベツをもどして軽くいため合わせ、3を加えて味つけする。

7 目玉焼きをつくる
別のフライパンにサラダ油を熱し、卵を割り入れて半熟の目玉焼きをつくる。

8 もりつける
6を皿にもりつけ、7をのせ、青のりをふり、きざみのり、紅しょうがをそえる。

これで完成！

つるつる？もちもち？

埼玉県川島町

すったて

完成まで **15分**

みそやごまをまぜた冷たいつけ汁で食べるおうどん。シャキシャキのきゅうりや玉ねぎがアクセント！

シソとゴマが香る！

どんな料理？ すったて

埼玉県川島町の農家に伝わる、夏の健康食です。川島町では、昔から米と小麦の二毛作がさかんで、うどんをよく食べていました。すり鉢でごまをすってみそと合わせ、きゅうりやみょうがなどの夏野菜を入れてつくようにたたき、すりたて（すったて）のうちに冷たい水を加えて、うどんのつけ汁にします。

熊谷　川島町　さいたま　秩父

P24へ

変わりうどん対決

耳の形をした、一風変わったうどん。
自分でこねてつくるうどんは、
もちっとした歯ごたえで
おいしさも倍増！

栃木県佐野市

耳うどん

完成まで 90分

めんが耳の形だね！

どんな料理？ 耳うどん

栃木県佐野市仙波町に、江戸時代の終わりごろから伝わるお正月料理です。耳の形のめんには、鬼の耳を食べれば鬼に話を聞かれないから、一年を無事にすごせる、という魔除けの意味や、耳を食べれば、悪口が聞こえないので、近所づきあいがうまくいく、といった言い伝えがあります。

那須塩原
日光
宇都宮
●佐野

P25へ

すったてのつくり方

材料（2人分）

きゅうり……1本	だし汁……1カップ
玉ねぎ……1/4個	白ごま……大さじ3
青じそ……6枚	みそ……大さじ3
	砂糖……小さじ1
	冷凍うどん……2玉

1 具を切る
きゅうりは輪切り、玉ねぎ、青じそはみじん切りにする。

2 だし汁を冷やす
だし汁は冷蔵庫で冷やしておく。

3 ごまをする

> 半ずりとは、半分くらいすった状態のこと。粒が少し残っているくらいでOKだよ。

すり鉢に白ごまを入れ、すりこぎで半ずりにする。

4 みそ、砂糖を加えてする

3にみそ、砂糖を加えてさらにする。

5 具を加える

4に1を加え、すりこぎでつくようにたたき、なじませる。

6 だし汁を加えてのばす

5に2を少しずつ加えてときのばし、再び冷蔵庫で冷やす。

> 濃いめにつくって、氷を入れて冷やして食べてもおいしいよ！

7 もりつける
冷凍うどんはゆで、冷水で冷やし、水気をきってざるにもりつける。別の器に6のすったてを入れてそえる。好みにより氷を浮かべる。

これで完成！

耳うどんのつくり方

材料(2〜3人分／約40個分)

- Ⓐ 塩……………小さじ2弱
- 水……………1/2カップ弱
- うどん用小麦粉(中力粉)……………200g
- 小麦粉(打ち粉用)……適量
- Ⓑ 水……………480mL
- めんつゆ(2倍濃縮)……………120mL
- 鶏もも肉……………1/6枚
- かまぼこ(ピンク／1cm厚さ)……………2切れ
- なると(8mm厚さ)……2切れ
- 伊達巻(1cm厚さ)……2切れ
- 長ねぎ(小口切り)……5cm分

1 生地をつくる

Ⓐをまぜておき、塩水をつくる。ボウルにうどん用小麦粉を入れ、塩水の2/3量を入れて手早くまぜ、全体に水分がいきわたったら残りの塩水を加え、だまにならないようにまぜてそぼろ状にする。

2

さらに1をボウルの中で押さえこむようにこね、生地をまとめる。木のまな板にうつし、さらにこねる(ビニール袋に入れて足でふんでもよい)。

3

2の生地を丸くまとめてビニール袋に入れ、常温で1時間以上ねかせる。ねかせた生地を再びこね、ビニール袋にもどし、さらに20分以上ねかせる。

4 生地を成形する

> 打ち粉とは生地がまな板にくっつかないように、小麦粉を少しふることだよ。

まな板に打ち粉をし、3をのせてさらに打ち粉をし、めん棒で縦、横に押しながら四角い盤状にのばし、めん棒に巻きつけて3mm厚さにのばす。打ち粉をし、包丁で6cm×3cmの長方形に切る。

5

4を二つ折りにし、左右の角をくっつけ、耳の形にする。たっぷりの湯で約10分ゆで、水で洗ってしめる。熱湯をかけて温め、丼に入れる。

6 つゆをつくり、もりつける

なべにⒷを入れて火にかけ、ふっとうしたら2cm角に切った鶏もも肉を加えて火を通す。5の丼に注ぎ、ピンクのかまぼこ、なると、伊達巻、長ねぎをのせる。

いためる！かける！

沖縄県全域

ソーミンチャンプルー

夏の定番のそうめんを、なんといためものに！ツナやゴーヤー、卵が入ってボリューム満点。

あっさり味で野菜もたっぷり！

完成まで 15分

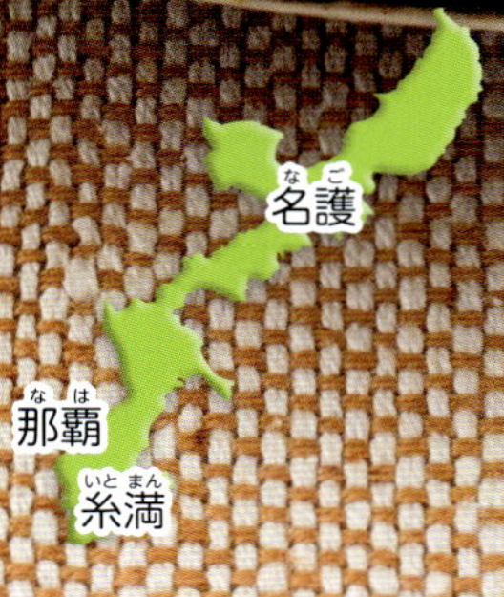

名護
那覇
糸満

どんな料理？ ソーミンチャンプルー

そうめんをいためて食べる、沖縄の郷土料理です。ソーミンはそうめん、チャンプルーは「ごちゃまぜ」という意味で、いためものの料理のことです。具は、にんじんやキャベツ、玉ねぎなどの野菜と、ツナ缶、ポーク（ランチョンミートの缶づめ）などが人気です。そうめんをかためにゆでるのが、ポイントです。

P28へ

26

アレンジそうめん

そうめんに、たっぷりの具をのせて
冷たいあんをかけるよ。
だしがきいたあんが
細いそうめんによくからむ！

山形県鶴岡市

あんかけそうめん

完成まで20分

甘じょっぱい味！

どんな料理？ あんかけそうめん

山形県鶴岡市には、しょうゆ、酒、砂糖で味つけし、とろみをつけたあんをかける「あんかけ」の調理法が広く伝えられていて、5月の天神祭では、ますのあんかけが代表的なごちそうです。あんかけそうめんは、鶴岡市のスーパーなどでも販売されていて、現地ではごく日常的なメニューです。

P29へ

ソーミンチャンプルーのつくり方

材料（2人分）

ツナ（缶づめ／小）… 1缶（90g）	卵…………… 2個
ゴーヤー……… 1/3本	塩、こしょう…… 各少々
玉ねぎ………… 1/4個	サラダ油……… 小さじ1
赤パプリカ…… 1/4個	ごま油………… 小さじ1
しょうが……… 1/2かけ	Ⓐ 和風だしの素（顆粒）………… 小さじ1/3
そうめん……… 150g	酒…………… 大さじ1
ごま油………… 少々	塩、こしょう…… 各少々
	白ごま………… 少々

1 具の下ごしらえをする

ツナは缶汁をきってほぐす。ゴーヤーは縦半分に切ってスプーンで種を取りのぞき、8mm厚さの半月切りにする。玉ねぎは1cm厚さのくし形切り、赤パプリカは縦にして斜めに包丁を入れ、4cm長さの棒状に切る。しょうがはせん切りにする。

> ゴーヤーの白いワタの部分はスプーンでかき出すように取りのぞこう。

2 そうめんをゆでる

そうめんはパッケージに表示された時間を参考にかためにゆで、流水で冷やし、ざるにあげて水気をきる。ほぐれやすくするためにごま油をまぶしておく。

3 卵をいためる

ボウルに卵を割り入れてさいばしでときほぐし、塩、こしょうをふる。フライパンにサラダ油を熱し、卵をいため、取り出す。

4 具とそうめんをいためる

3のフライパンにごま油を足し、**1**のしょうが、玉ねぎ、ゴーヤー、赤パプリカの順にいため、**2**を入れてまぜる。**1**のツナを加え、Ⓐで味つけする。

5 もりつける

4に**3**の卵をもどし入れてさっといため合わせ、皿にもりつけて白ごまをふる。

これで完成！

あんかけそうめんのつくり方

材料（2人分）

- Ⓐ だし汁……1/2カップ
- しょうゆ……大さじ1と1/2
- 酒……大さじ1と1/2
- 砂糖……大さじ2
- 片栗粉……大さじ3/4

- 卵……1個
- ほうれん草……4株
- そうめん……200g
- ツナ（缶づめ／小）…1缶（90g）
- しょうがのすりおろし……1/2かけ分

1 あんをつくる

なべにⒶを合わせて火にかけ、木べらなどでまぜながら加熱し、ふっとうしたら、そのまま冷まし、あんをつくる。

> 片栗粉が入っているので、火にかけていると自然ととろみがついてくるよ。

2 ゆで卵をつくって切る

なべに卵と卵がかくれるくらいの水を入れて火にかけ、ふっとうしたら7〜8分ゆでてかたゆでのゆで卵をつくり、からをむいて輪切りにする。

3 ほうれん草をゆでて切る

別のなべに湯をわかし、ふっとうしたら塩少々（分量外）を入れ、ほうれん草を入れてゆでる。水気をきり、3〜4cm長さに切る。

4 そうめんをゆでる

別のなべに湯をわかし、ふっとうしたらそうめんを入れる。

5

パッケージに表示された時間の通りにゆでる。ときどきさいばしでかきまぜ、めんをほぐす。ゆであがったらざるにあげて冷水でしめ、水気をきる。

6 もりつける

皿に**5**をもりつける。缶汁をきってほぐしたツナ、**2**、**3**をそえて**1**をかけ、しょうがのすりおろしをのせる。

これで完成！

具に注目！東と

東京都江東区

深川めし

あさりがたっぷり入った
だし汁をごはんにかけて。
サラサラッとかきこんで食べたい！

完成まで 10分

あさりのだし！

どんな料理？ 深川めし

東京の深川は江東区の西側に位置し、江戸時代には漁師の町、貝の産地として有名でした。あさりとねぎを煮こみ、ごはんにかけて食べる深川めしは、漁師たちが仕事の合間に食べた、ぶっかけめしがはじまり。あさりをごはんといっしょに炊きこむスタイルの深川めしもあります。

八王子　新宿　江東　世田谷

P32へ

西のどんぶり勝負

お肉かと思って食べてみたら、油揚げ！
油揚げに染みこんだおつゆが、
ジュワッと口のなかに広がるよ。

京都府全域

衣笠丼

完成まで 10分

お揚げがしみウマ〜

京丹後
福知山
京都
宇治

どんな料理？ 衣笠丼

油揚げとねぎを卵でとじてごはんにのせる、京都の伝統料理。本場では京揚げ（うす揚げ）と九条ねぎを使いますが、ここではふつうの油揚げとわけぎでつくります。名前は、宇多天皇が夏に雪景色を見たいといったため、山に白い衣をかけて雪に見立てたという伝説のある、衣笠山にちなんでいます。

P33へ

深川めしのつくり方

材料（2人分）

あさり（むきみ） ……… 180g	Ⓐ だし汁 ……… 2カップ
長ねぎ ……… 1/2本	酒 ……… 大さじ2
しょうが ……… 1/2かけ	みりん ……… 大さじ1
みつば ……… 少々	みそ ……… 大さじ1と1/2
	しょうゆ ……… 大さじ1/2
	温かいごはん ……… 丼2杯分
	きざみのり ……… 少々

1 あさりを洗う

あさりのむきみはボウルに入れた塩水（分量外）でゆすりながら洗う。

> 塩水の塩分は海水と同じ2〜3％が目安。なめて塩辛さを感じる程度だよ。

2 材料を切る

長ねぎは斜め切りにする。しょうがはせん切りに、みつばは2cm長さに切る。

3 具を煮る

なべにⒶを入れて火にかけ、ふっとうしたら **1** を加える。

4

再ふっとうしたら、**2** の長ねぎを加えて具が温まるくらい少し煮る。

> 長ねぎのシャキシャキ感を残すくらいに、少しだけ火を通せばOK！

5 もりつける

丼にごはんをもりつけ、**4** をかけ、**2** のしょうがとみつば、きざみのりをのせる。

これで完成！

衣笠丼のつくり方

材料（2人分）

- わけぎ……………2本
- 油揚げ……………1枚
- Ⓐ だし汁……………1カップ
- うす口しょうゆ…大さじ2
- みりん……………小さじ3
- 砂糖………………小さじ2
- 温かいごはん……丼2杯分
- 卵…………………2個
- 粉山椒……………少々

> わけぎの代わりに九条ねぎを使うと本格的！

1 具を切る

わけぎは斜め切りにする。油揚げは短冊切りにする。

2 油揚げの半量を煮る

小さめの浅なべにⒶの半量を入れて火にかけ、ふっとうしたら油揚げ半量を加えて味が染みるまで煮る。丼にごはんをもりつけ、煮た油揚げをのせる。

> 浅なべがなければフライパンで2人分いっしょにつくり、半分に分けてもりつけてもOK！

3 わけぎを煮る

2の煮汁に、わけぎの半量を加えてさっと煮る。

4 卵でとじる

ボウルに卵1個を入れてときほぐし、3に加える。

5 もりつける

ふたをしてしばらくおき、卵が半熟状になったら2の丼にのせ、お好みで粉山椒をふる。2～5の手順でもうひとつつくる。

これで完成！

まんまる対決！

静岡県袋井市

たまごふわふわ

卵をなべに入れて蒸らしたら、あら不思議！ふわふわでおもしろい食感の卵料理に大変身！

完成まで15分

インパクト大！

浜松　静岡　伊豆
●袋井

どんな料理？ たまごふわふわ

静岡県袋井市の江戸時代の名物料理です。東海道の袋井宿で、朝食に出されていた記録があり、また1800年代の書物、「東海道中膝栗毛」にも登場します。卵とだし汁だけのシンプルなこの料理は、江戸時代の料理本をもとに2006年頃、袋井市観光協会により再現され、全国的に知られる名物料理になりました。

P36へ

フワフワ卵料理

見た目はたこ焼きのようだけど、
卵をたっぷり使ったやさしい味。
つけ汁にひたして、
熱々を食べよう！

兵庫県明石市

明石焼

完成まで 20分

どんな料理？ 明石焼

ふんわりと焼き、つけ汁につけて食べるたこ焼きで、地元兵庫県明石市では明石焼、玉子焼き、明石玉子焼きなどとよばれます。大正時代に屋台で販売がはじまり、人気が広がっていきました。大阪名物のたこ焼きは、最初はこんにゃくを入れていましたが、この料理をヒントに、たこを入れるようになったといわれます。

姫路　明石　神戸
淡路

なかはトロトロ〜

P37へ

35

たまごふわふわのつくり方

材料（2人分）

- Ⓐ だし汁……… 2カップ
- Ⓐ うす口しょうゆ
  ……………大さじ1/2
- 塩…………小さじ1/2
- こしょう……少々
- 卵……………2個
- みりん………小さじ1
- きざみのり……少々

1 だし汁をつくる
Ⓐをまぜ合わせる。

2 卵をときほぐして泡立てる

ボウルに卵を割り入れてときほぐし、みりん、**1**から大さじ3弱のだし汁を取って加える。

3

2をハンドミキサーでしっかり泡立てる。

> クリーム状になるまでしっかりまぜ合わせて。

4 土なべを準備する
土なべのふたは熱湯につけて温めておく。

5 泡立てた卵を流し入れる

1を土なべに入れて火にかけ、ふっとうしたら**3**をいっきに流しこみ、温めておいた土なべのふたをして火を消し、余熱で5分蒸らす。

> 熱くなった土なべのふたは、なべつかみを使って持ってね。

6 もりつける
ふたを取り、きざみのりをちらす。

🚩 これで完成！

> 泡がふわふわのうちに、食べよう！

明石焼のつくり方

材料(16個分)

- たこ……………50g
- Ⓐ 小麦粉…………大さじ2
- 　片栗粉…………小さじ2
- 　塩………………少々
- 卵………………2個
- Ⓑ だし汁…………1カップ
- 　だし汁…………1カップ
- 　うす口しょうゆ…小さじ1
- 　塩………………小さじ1/4
- みつば……………少々
- サラダ油…………少々

1 材料の下ごしらえをする

たこは16等分に切り分ける。Ⓐを合わせて、ふるいやざるなどでふるっておく。

2 生地をつくる

ボウルに卵を割り入れてときほぐす。だし汁を加えてときのばし、1のⒶを加えてなめらかになるまでよくまぜ合わせる。

3 つけ汁をつくる

なべにⒷを入れて火にかけ、ふっとうさせてつけ汁をつくる。2㎝長さに切ったみつばを入れ、人数分に分けて器に注ぐ。

4 生地を焼く

たこ焼き器にサラダ油をうすくぬって熱し、2を流し入れる。くぼみ1つに対して1個のたこを入れる。

> 本場では小麦粉の代わりにじん粉という小麦粉のでんぷんだけでつくられた粉を使うよ。

5

生地がかたまってきたら、さいばしでみぞをつくる。

6

こぼれた部分を入れこむようにさいばしを使ってひっくり返しながら焼く。

> 表面にうすいまくができたら、くるっと返すタイミングだよ。

7 もりつける

表面がかたまったらさいばしで取り出し、皿にもりつける。器に注いでおいた3をそえる。

これで完成！

大阪府全域

いか焼き

もちもちの生地には、いかがたっぷり♪
甘辛いソースが、口いっぱいに広がるよ！

ボリューム満点！

完成まで 90分

どんな料理？ いか焼き

大阪でいか焼きといえば、小麦粉の生地に切ったいかをまぜ、鉄板で焼いてソースをぬったもの。いかをそのまま焼いたものは、いかの姿焼きなどとよばれます。1950年ごろに上下2枚の鉄板ではさんで焼くスタイルが完成し、愛され続けています。

いか焼きのつくり方

材料（4枚分）

- Ⓐ 強力粉 ………… 100g
- 片栗粉 ………… 大さじ1/2
- 塩 ………… 少々
- 和風だしの素（顆粒）… 小さじ1/2
- 水 ………… 1カップ
- いかのエンペラ（皮つき）と足
  … 1杯分（エンペラと足を合わせて80g）
- サラダ油 ………… 適量
- とき卵（あらくほぐす）… 2個分
- お好み焼きソース、マヨネーズ
  ………… 各適量
- わけぎ（小口切り）…… 少々

1 生地をつくる
ボウルにⒶを入れ、分量の水を注ぎ、よくまぜて冷蔵庫で1時間以上ねかす。

エンペラとは、いかの胴の先にある三角形のひれや、胴のふちにあるひれのことだよ。

2 いかのエンペラは短冊切りにする。足は1本ずつに切り分け、長さを半分に切る。

3 1の1/4量（約60mL）に2の1/4量（20g）をまぜる。

4 生地を焼く
サラダ油をひいて熱したフライパンに3を流し入れ、続けてとき卵1/4量を注ぎ、かたまったら裏返し、へらで押さえて2分焼く。

5 もりつける
4にお好み焼きソースをぬってくるくると巻き、ソースとマヨネーズをかけ、わけぎをちらす。同じようにあと3個つくる。

これで完成！

粉ものおやつ対決

おこげが香ばしい♪

長野県北信地方

こねつけ

甘くてしょっぱい、くせになるみそ味。1個食べただけでも、おなかいっぱいに！

どんな料理？ こねつけ

戦国時代から、長野県の北部でつくられている郷土料理。水田が少ない地域では米が貴重だったため、小麦粉を加えて量を増やしたのがはじまりといわれています。現在では残りごはんを水にひたしてからつくるのが一般的です。

完成まで 20分

こねつけのつくり方

材料（4個分）

- Ⓐ みそ……………大さじ2
- │ 砂糖……………大さじ2
- ごはん……………100g
- 小麦粉……………1カップ
- ぬるま湯…………1/4カップ
- ごま油……………大さじ1

1 みそと砂糖をまぜる

Ⓐはまぜておく。

2 生地をつくる

ボウルにごはんを入れて小麦粉をふり入れ、分量のぬるま湯を加えてこね、4等分にまとめる。

こねるときは、米粒が残っているくらいまでに。

3 形を整える

2を4等分して手で丸く広げ、1をのせて包みこみ、平丸形に形を整える。

4 焼く

フライパンにごま油を熱し、3をならべて両面をこんがり焼きつける。

焼いている間は、あまり動かさないほうが、きれいに焼けるよ。

これで完成！

しっとり！サクサク！

群馬県沼田市

みそパン

みそとパンをいっしょに食べる不思議体験。
ひと口食べたらやみつきになる味！

完成まで 5分

パンがフワフワ〜

どんな料理？ みそパン

群馬県の郷土料理、焼きまんじゅうは、あんの入っていないまんじゅうに、みそだれをつけて焼いたものです。これをヒントに1972年に、群馬県沼田市のフリアンパン洋菓子店で誕生したのがみそパン。たっぷりの甘いみそだれが、特徴です。

沼田 / 前橋 / 高崎

みそパンのつくり方

材料（2個分）

- Ⓐ みそ............大さじ1と1/2
- みりん............大さじ1
- 砂糖............大さじ1と1/2
- ごま油............少々
- ソフトフランスパン... 2本

1 みそだれをつくる
耐熱容器にⒶを入れて合わせ、電子レンジで30秒加熱してよくまぜる。

お好みでねぎなどを入れてもおいしいよ！

2 パンを温める
ソフトフランスパンは横に切りこみを入れ、オーブントースターで温める。

3 みそだれをぬる
2のパンの間に1をぬる。

これで完成！

かんたんおやつパン対決

神奈川県横須賀市

ポテチパン

ポテトチップスがサンドイッチの具に！サクサクしたポテチの食感が楽しいよ♪

完成まで20分

おやつにぴったり

どんな料理？ ポテチパン

1970年代のはじめに、神奈川県横須賀市のお菓子の問屋が、余ったポテトチップスで何かつくれないかと市内のパン店に相談してできたのがポテチパン。店によってオリジナルの味つけで、具もにんじん入りやポテトチップスのみとさまざまです。

ポテチパンのつくり方

材料（2個分）

キャベツ	2枚
にんじん（あらみじん切り）	10g
塩	少々
Ⓐ マヨネーズ	大さじ1
塩、こしょう	各少々
ポテトチップス（のり塩味）	20g
青のり	少々
ドッグ用パン	2個

1 具を塩もみにして水気をしぼる

キャベツは1cm角に切り、にんじんとともに塩をふってもみ、しんなりしたら水気をしぼる。

2 味つけする

1をボウルにうつして、Ⓐを加えて味つけし、くだいたポテトチップス、青のりを加えてまぜる。

3 具をはさむ

ドッグ用パンは横に切りこみを入れてオーブントースターで温め、2をはさむ。

これで完成！

ポテトチップスの味を変えたり、好みの味を研究しても楽しいよ。

これってそのまんま!?

島根県大田市

天ぷらまんじゅう

紅白のおまんじゅうがおめでたい！
揚げたてのサクサク衣をほおばって！

完成まで **10分**

おめでたい♪

どんな料理？ 天ぷらまんじゅう

まんじゅうの天ぷらは長野県が発祥といわれ、江戸時代に、高遠藩の藩主・保科正之の国替を通して信州から会津（現在の福島県）へ伝えられ、さらに会津と交流のあった石見（現在の島根県太田市）に伝わったと考えられています。天ぷらまんじゅうは、太田市ではお祭りには欠かせないごちそう料理のひとつです。

P44へ

オドロキ和菓子くらべ

コロンとかわいい姿に
思わず笑顔が出ちゃう。
大福の中身はみかん！
甘酸っぱい味だよ。

愛媛県今治市

まるごとみかん大福

完成まで 30分

かわいい形だね！

どんな料理？ まるごとみかん大福

みかんの産地、愛媛県今治市にある和菓子店の清光堂が発売し、全国的に人気になっている大福が、「一福百果まるごとみかん大福」です。お店では、みかんといっしょに包むあんとのバランスを考え、地元の生産者の人たちが、この大福用に栽ばいしている、ふつうより小さなサイズのみかんを使っています。

P45へ

43

天ぷらまんじゅうのつくり方

材料（2個分）

紅白まんじゅう…各2個

Ⓐ 天ぷら粉…1カップ
｜冷水………3/4カップ
揚げ油………適量

1 まんじゅうを合わせる

紅白2個のまんじゅうをひと組にし、底を合わせて重ねておく。

2 衣をつくる

ボウルにⒶを入れてさいばしでさっくりまぜる。

> 冷たいお水で衣をつくると、揚げたときにカラッと仕上がるよ。

3 まんじゅうを揚げる

1を2のなかに入れてからめる。

4

170度に熱した揚げ油に3を入れ、しずんだら揚げ網を使ってうかせながら、カラリと揚げる。

> 表面に少し色がついてきたら油からあげよう！

5 もりつける

網を重ねたバットの上に、揚がったまんじゅうをのせて油をきり、さわれる程度まであら熱をとる。合わせた2個のまんじゅうを切り口が見えるように切り、皿にもりつける。

これで完成！

まるごとみかん大福のつくり方

材料（2個分）

- みかん（小）……2個
- 白あん……60g
- もち……2個（1個／50g）
- 水……小さじ2
- 砂糖……小さじ2
- 片栗粉……少々

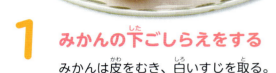

1 みかんの下ごしらえをする
みかんは皮をむき、白いすじを取る。

2 みかんをあんで包む

白あんを2等分にして、1を包む。

3 皮の部分をつくる
耐熱ボウルにもち、分量の水を入れてラップをかけ、電子レンジで約3分加熱する。

4

3に砂糖を加えて、なめらかになるまですりこぎでつきまぜ、2等分にして丸くまとめる。

5
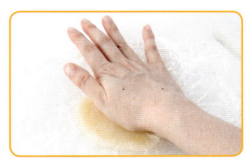

ラップを広げ、2等分にした4のもちの1つをのせ、上にラップをかぶせて手の平やめん棒で直径約12cm大にのばす。

6 あんとみかんを皮で包む

かぶせたラップをはがし、もちの中央に2をのせて、下のラップを使って包みこむ。

7
手に片栗粉をつけて、もちをラップからはずして、とじ目にすき間がないか確認しながら、丸く形を整える。

これで完成！

大福の皮は時間がたつとかたくなるよ。できあがったらすぐに食べよう！

ひんやり♪ シャリシャリ♪

長崎県長崎市

食べるミルクセーキ

シャーベットのようなかき氷のような
不思議なデザート。
口のなかでとろけて
クリーミーなおいしさ！

すっごくミルキー♪

どんな料理？ 食べるミルクセーキ

長崎市のミルクセーキは、飲み物ではなく食べ物。卵、練乳、砂糖と、飲み物のミルクセーキと似た材料に、けずった氷を加えてかき氷のようにつくります。大正時代に開店した市内一古いきっさ店が考案し、他の店に広がりました。

●長崎　雲仙　南島原　佐世保

完成まで 15分

食べるミルクセーキのつくり方

材料（2人分）

- 卵黄……………… 2個分
- バニラエッセンス… 少々
- 砂糖……………… 大さじ3
- コンデンスミルク… 大さじ3（60g）
- 氷………………… 300g
- 缶づめのチェリー… 2個

1　材料をまぜ合わせる

ボウルに卵黄を入れて泡立て器でくずし、バニラエッセンス、砂糖を加えよくまぜ、なめらかになったら、コンデンスミルクを加えてさらにまぜる。

2　氷をけずってまぜ、もりつける

かき氷器で氷をけずり、1へ数回に分けて加えてまぜる。器にもり、缶づめのチェリーを飾る。

これで完成！

とけないように手早く！

涼を楽しむ氷対決

氷が山もり！

沖縄県全域

沖縄ぜんざい

あっさりとした甘みの
シロップがたっぷり！
金時豆もふっくら大きくて
氷とよく合うよ♪

完成まで
10分

どんな料理？ 沖縄ぜんざい

一般的なぜんざいである、温かくておもちが入った汁粉ではなく、甘く煮た金時豆や押し麦をかき氷にのせたものが沖縄ぜんざいです。緑豆と大麦を黒砂糖で煮た沖縄の郷土料理、「あまがし」を冷やしたものが由来といわれています。

名護
那覇
糸満

沖縄ぜんざいのつくり方

材料（2人分）

- 金時豆の甘煮（缶づめ）……100g
- 金時豆の甘煮（缶づめ）の煮汁……1と1/4カップ
- 氷……300g
（量は好みで調整する）

1 材料の準備をする
金時豆の甘煮と煮汁から、飾り用に金時豆6粒、煮汁大さじ4を取り分ける。

2 もりつける
器2個に1の残りを半分ずつもりつけ、かき氷器で氷をけずりながらのせていく。

3
2に1で取り分けた豆をもり、煮汁をかける。

これで完成！

煮汁が少ないときはかき氷用のみぞれシロップを加えて。

監修者紹介

吉田瑞子（よしだ・みずこ）

料理研究家＆フードコーディネーター。1987年おもちゃメーカーの企画から、料理の世界に転身。「楽しく仕事！」がモットーの事務所「エイプリルフール」主宰。雑誌、広告、TVCFの料理制作、食品メーカーのレシピ開発等を手がける。「誰にでも簡単に作れる家庭料理」をテーマに各方面で活躍中。『冷凍保存の教科書ビギナーズ』『超速ラクらく弁当』（新星出版社）、『かんたん作りおきおかず230』『朝ラクおいしい！ おかずの素弁当』（学研プラス）、『朝つめるだけ！ラクうま弁当』（宝島社）ほか著書多数。

```
NDC 596
監修　吉田瑞子
どっちの料理対合！えらぼう！つくろう！
ニッポンのご当地ごはん
　2　昼ごはんとおやつ
日本図書センター
2017年　48P　26.0cm×21.0cm
```

＜スタッフ＞
撮影	吉岡真理
	横田裕美子（スタジオバンバン）
スタイリング	深川あさり
イラスト	坂木浩子
原稿	吉野清美、酒井かおる
装丁・本文デザイン	株式会社ダイアートプランニング
	（宇田隼人、天野広和、五十嵐直樹）
校閲	有限会社玄冬書林
編集制作	株式会社童夢
企画担当	日本図書センター／福田惠

＜取材協力＞
- おきつね本舗（おきつねバーガー）
- Mille Vague Group HUNGRY（松山長なすバーガー）
- 黒石商工会議所（黒石つゆやきそば）
- たじみそ焼きそば研究所（たじみそ焼きそば）
- 袋井市観光協会（たまごふわふわ）
- フリアンパン洋菓子店（みそパン）
- 清光堂（まるごとみかん大福）

どっちの料理対決！　えらぼう！　つくろう！

ニッポンのご当地ごはん
2 昼ごはんとおやつ

2017年1月25日　初版第1刷発行

監修／吉田瑞子
発行者／高野総太
発行所／株式会社 日本図書センター　〒112-0012　東京都文京区大塚3-8-2
　　　　電話　営業部03（3947）9387　出版部03（3945）6448
　　　　http://www.nihontosho.co.jp
印刷・製本　図書印刷 株式会社

2017 Printed in Japan
乱丁・落丁本はお取り替えいたします。
ISBN978-4-284-20397-5（第2巻）

どっちの料理対決！ニッポンのご当地 \えらぼう！/ \つくろう！/

1 朝ごはんとスイーツ

☆巻頭インタビュー
水卜麻美さん

甘～い幸せ♥　スイーツ風トースト対決
小倉トースト(愛知県名古屋市)vsクリームボックス(福島県郡山市)

王者はどっち!?　シーフードサンド
えびフライサンド(愛知県名古屋市)vsさばサンド(福井県小浜市)

さらさら対決！　温・冷 汁かけごはん
鶏飯(鹿児島県奄美群島)vs冷や汁(宮崎県全域)

どっちで起きる？　目覚まし朝カレー
スープカレー(北海道札幌市)vs北本トマトカレー(埼玉県北本市)

サラダみたい！　ワンプレート対決
タコライス(沖縄県金武町)vsラーメンサラダ(北海道札幌市)

カワリダネお寿司　どっちがビックリ!?
レタス巻き(宮崎県宮崎市)vsそばいなり寿司(茨城県笠間市)

三角がいい？　四角がいい？　ゆかいなおにぎり対決
天むす(愛知県名古屋市)vsランチョンミートおにぎり(沖縄県全域)

コラム　まだある！　おもしろおにぎり集合！
とろろおにぎり(富山県全域)・肉巻きおにぎり(宮崎県宮崎市)・
けんさ焼き(新潟県魚沼地方)・百万遍おにぎり(山梨県中央部)・
めはり寿司(和歌山県・三重県熊野地方)

そんなのアリ!?　シンプルみそ汁対決
枝豆のみそ汁(山形県庄内地方)vsとうもろこしのみそ汁(山形県鶴岡市)

コラム　まだある！　手軽でおいしいみそ汁集合！
しじみ汁(島根県全域)・かきのみそ汁(広島県沿岸部)・
アーサのみそ汁(沖縄県全域)・きゅうりのみそ汁(富山県東部)・
納豆汁(岩手県西和賀町)・そうめんみそ汁(奈良県全域)

パン？　ごはん？　のせたいおかず対決
コンビーフハッシュ(沖縄県全域)vsだし(山形県全域)

どっちを選ぶ？　ごきげん"お目覚"
バターもち(秋田県北秋田市)vsいがまんじゅう(埼玉県北東部)

2 昼ごはんとおやつ

☆巻頭インタビュー
サンドウィッチマン(伊達みきおさん・富澤たけしさん)

どっちがゴージャス？　夢のランチ対決
ハントンライス(石川県金沢市)vsトルコライス(長崎県長崎市)

うま～く化けた！　変わりバーガー対決
おきつねバーガー(愛知県豊川市)vs松山長なすバーガー(愛媛県松山市)

ソースに差アリ！　焼きめし対決
そばめし(兵庫県神戸市)vsえびめし(岡山県岡山市)

新スタイル焼きそば　だし派？　みそ派？
黒石つゆやきそば(青森県黒石市)vsたじみそ焼きそば(岐阜県多治見市)

つるつる？　もちもち？　変わりうどん対決
すったて(埼玉県川島町)vs耳うどん(栃木県佐野市)

いためる！　かける！　アレンジそうめん
ソーミンチャンプルー(沖縄県全域)vsあんかけそうめん(山形県鶴岡市)

具に注目！　東と西のどんぶり勝負
深川めし(東京都江東区)vs衣笠丼(京都府全域)

まんまる対決！　フワフワ卵料理
たまごふわふわ(静岡県袋井市)vs明石焼(兵庫県明石市)

ソース？　みそ？　粉ものおやつ対決
いか焼き(大阪府全域)vsこねつけ(長野県北信地方)

しっとり！　サクサク！　カンタンおやつパン対決
みそパン(群馬県沼田市)vsポテチパン(神奈川県横須賀市)

これってそのまんま!?　オドロキ和菓子くらべ
天ぷらまんじゅう(島根県大田市)vsまるごとみかん大福(愛媛県今治市)

ひんやり♪　シャリシャリ♪　涼を楽しむ氷対決
食べるミルクセーキ(長崎県長崎市)vs沖縄ぜんざい(沖縄県全域)